Clár

Rugadh inniu é!

Inniu a rugadh an leanbh beag bídeach seo.

Agus tusa i do leanbh mar seo, ní thiocfadh leat mórán a dhéanamh duit féin.

Bhí **duine fásta** de dhíth ort le tú a chothú agus a choinneáil slán, glan agus te.

Tugann na **tuismitheoirí** aire do na daoine óga ar feadh tamaill fhada. De réir mar a fhásaimid aníos, bímid ag foghlaim an dóigh le rudaí a dhéanamh dúinn féin.

💡 SMAOINIGH AIR!

Faigh pictiúr díot féin agus tú i do leanbh. Ar tháinig athrú ar bith ort? Ar fhás tú mórán? Cad é a thig leat a dhéanamh anois nach dtiocfadh leat a dhéanamh san am sin?

6

Nuair a thagann créatúir bheaga úra ar an saol, bíonn ar chuid acu rudaí a dhéanamh dóibh féin ón tús.

Ní thig le héan óg é féin a chothú. Bíonn air cleití a fhás agus eitilt a fhoghlaim sula dtig leis an nead a fhágáil.

A luaithe a thagann sí as an ubh, sleamhnaíonn an nathair óg ar shiúl agus maireann léi féin.

Caithfidh fia óg siúl ón tús nó fágfaidh an **tréad** ina dhiaidh é, ach cothaíonn a mháthair go fóill é.

7

Ag fás aníos

Bíonn daoine mar tusa blianta fada ag fás aníos. Bíonn daoine fásta de dhíth orainn le haire a thabhairt dúinn agus le bia agus áit chónaithe shábháilte a thabhairt dúinn.

Is babaí úr í Tríona. Níl fiacla aici. Tá bainne a máthar de dhíth uirthi agus diúlann sí as cíocha a máthar é. Ólann roinnt babaithe bainne as buidéal.

Tá Sinéad tríocha bliain d'aois. Is duine fásta í agus tá leanbh dá cuid féin aici.

Tá Liam bliain amháin d'aois. Tá roinnt fiacla i ndiaidh fás agus tig leis gach cineál bia mhaith a ithe le bheith láidir agus sláintiúil. Tá dúil aige sa bhainne go fóill ach anois ólann sé bainne bó as cupán.

8

Tá Séamas cúig bliana déag d'aois. Is **déagóir** é. Tá sé chóir a bheith fásta suas.

Tá Aodhán dhá bhliain d'aois. Tig leis siúl leis féin. Tá cosa níos faide aige ná atá ag Liam agus tá níos mó gruaige aige. Cad iad na difríochtaí eile a insíonn duit go bhfuil sé níos sine?

Tá Éamann naoi mbliana d'aois. Tá na fiacla móra anois aige. Thit na fiacla diúil amach nuair a bhí sé thart faoi shé bliana d'aois.

 BAIN TRIAIL AS!

Faigh cúpla grianghraf a tógadh díot féin ar do laethanta breithe.
Cuir in ord aoise iad.
Taobh leis an phictiúr a tógadh ar do lá breithe deireanach scríobh síos d'airde, méid do chuid cos, do mheáchan agus an dáta.
Coinnigh taifead díot féin - ag fás aníos.

9

Ag foghlaim

Bíonn tú ag fás i rith an ama. Stadfaidh an fás nuair a bheidh tú fásta suas, ach ní stadfaidh tú choíche de bheith ag foghlaim.

Tosaíonn babaithe a fhoghlaim faoin domhan thart orthu a luaithe a thagann siad ar an saol.

Foghlaimíonn tachráin siúl agus caint.

Nuair a théann tú ar scoil, foghlaimíonn tú léamh agus scríobh, an dóigh le suimeanna a dhéanamh agus cuid mhór rudaí úra.

10

Agus tú ag éirí níos sine foghlaimíonn tú an dóigh le rudaí níos casta a dhéanamh. Ní bhíonn an cuidiú céanna de dhíth ort ó dhaoine eile.

Fágann cuid mhór déagóirí an baile le post a fháil nó le dul ar coláiste.

SMAOINIGH AIR!

Nuair a bheidh tusa fásta suas, foghlaimeoidh tú an dóigh le post a dhéanamh agus le hairgead a shaothrú. Cén obair ba mhaith leat a dhéanamh? Cad chuige?

11

Babaí úr

An raibh a fhios agat gur thosaigh tú do bheatha mar **ubh** chomh beag le ponc?

Tosaíonn beatha úr nuair a nascann **speirm** bhídeach ón athair le hubh ón mháthair. Tosaíonn an ubh a fhás istigh i mbroinn na máthar.

Is áit shábháilte í **broinn** na máthar ina dtig le babaí fás go dtí go mbeidh sé réidh le teacht ar an saol. In amanna tig leat an leanbh a mhothú ag bogadh thart.

Aimsigh d'imleacán. Sin an áit a raibh tú ceangailte de do mháthair le feadán agus tú ag fás ina broinn. Thug an feadán bia agus **ocsaigin** duit.

Glacann sé naoi mí ar an ubh bheag fás ina babaí atá réidh le broinn a mháthar a fhágáil agus bheith beo sa saol taobh amuigh.

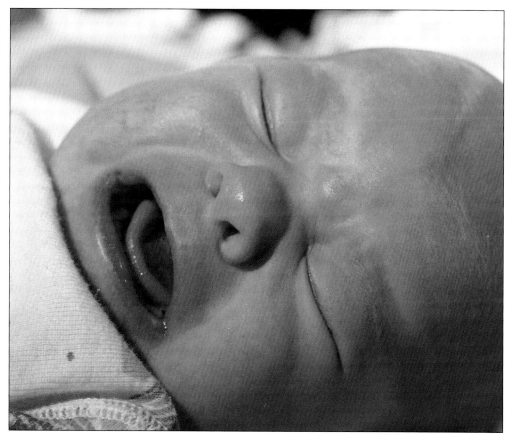

A luaithe a bheirtear an babaí, tarraingíonn sé a chéad anáil, agus go minic screadann sé amach go hard!

AMHARC SIAR

Amharc siar ar leathanach 8 go bhfeice tú an chéad bhia a gheobhaidh an babaí beag úr seo.

Cait agus piscíní

Bíonn idir ceithre agus sé phiscín ag an chat. Fásann siad taobh istigh di ar feadh ocht seachtaine. Bíonn siad dall, bodhar agus an-lag nuair a bheirtear iad.

Ólann piscíní bainne a máthar mar a dhéanann **mamaigh** eile. Cothaíonn a máthair iad agus tugann aire dóibh go dtí go dtig leo dul a sheilg leo féin.

💡 **SMAOINIGH AIR!**

Ní thig le peataí cait aire iomlán a thabhairt dóibh féin, fiú agus iad lánfhásta. Cad é a dhéanfá le haire a thabhairt do pheata cait?

14

Ar choimhéad tú riamh piscíní ag súgradh le chéile?
Bíonn siad ag foghlaim an dóigh le seilg a dhéanamh agus le haire a thabhairt dóibh féin. Bíonn an cat lánfhásta agus ábalta a piscíní féin a bheith aici sula mbíonn sí bliain d'aois.

👁 AMHARC SIAR

Amharc siar ar leathanaigh 8 agus 9. Cá mhéad eile atá le fás agus le foghlaim ag babaí bliana?

15

Pócaí

Fásann cangarúnna óga in áit iontach aisteach go dtí go mbíonn siad réidh le haire a thabhairt dóibh féin - i bpóca!

'Joey' a thugaimid ar changarú óg; ní bhíonn sé ach 2.5 cm ar fad nuair a bheirtear é. Téann sé isteach i bpóca a mháthar.

Fanann sé sa phóca agus diúlann sé bainne ar feadh sé mhí, go dtí go mbíonn sé réidh le léim amach agus bia a chuardach dó féin.

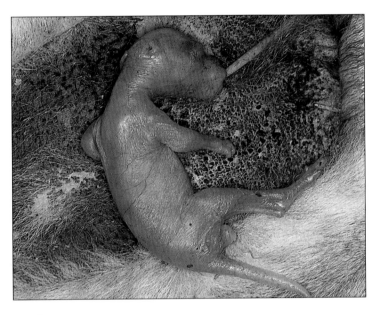

 **BAIN TRIAIL AS!**
Faigh rialóir agus tarraing líne 2.5 cm ar fad. Feiceann tú anois cé chomh beag agus a bhíonn cangarú óg nuair a thagann sé ar an saol.

Marsúipiaigh a thugaimid ar ainmhithe mar an cangarú, an cóála agus an vombat. Bíonn pócaí ag marsúipiaigh ina bhfásann na cinn óga.

Iompraíonn an cóála na cinn óga ina póca agus í ag dreapadh trí na crainn.

Is tochaltóir é an vombat. Is maith an rud é gur ar gcúl a osclaíonn an póca!

💡 SMAOINIGH AIR!

Tógann daoine fásta babaithe ina mbaclainn. Cad iad na dóigheanna eile a n-iompraíonn daoine fásta babaithe?

Ealaí agus a gcinn óga

Is i mbroinn do mháthar a d'fhás tusa. Fásann an marsúipiach i mbroinn a mháthar agus ansin ina póca.

Fásann na héin óga uile in uibheacha a bheireann a máithreacha. Bíonn na huibheacha lán bia agus maitheasa a bhíonn de dhíth ar scallamán le fás.

Tá an eala seo ina suí ar a huibheacha le hiad a choinneáil te agus slán.

👁 AMHARC SIAR

Amharc siar ar leathanach 13. Cén dóigh a bhfuair tusa cothú agus tú ag fás taobh istigh de do mháthair?

18

Nuair nach mbíonn bia ar bith fágtha san ubh, bíonn an eala úr réidh le teacht amach.

Baineann sé lá iomlán as an eala óg an ubh a bhriseadh agus streachailt amach aisti.

Nuair a bhíonn an eala óg dhá lá d'aois, bíonn sí réidh le snámh.

Ní ionann na cleití a bhíonn ar eala óg agus cleití eala fásta. Fásann na cleití áille bána nuair a bhíonn sí 2 bhliain d'aois.

☀️ SMAOINIGH AIR!

Déanann na héin neadacha ina mbeireann siad a n-uibheacha agus ina dtugann siad aire do na cinn óga. Coinníonn an nead te agus slán iad. Is áit mhaith é do theachsa le fás aníos ann. Cad chuige?

Athruithe iontacha

Is iontach na hathruithe a thagann ar roinnt ainmhithe agus iad ag fás.

Seo dhá phictiúr den ainmhí céanna – **feithid** ar a dtugaimid daol adharcach.

Nuair a thagann an daol adharcach as an ubh, is **larbha** le corp bog a bhíonn ann.

Nuair a bhíonn sé fásta, bíonn cuma fhíochmhar air.

 BAIN TRIAIL AS!

Déan liosta de na difríochtaí idir an larbha agus an daol adharcach fásta. Anois déan liosta de na cosúlachtaí eatarthu.

Is iontach na hathruithe a thagann ar an fhéileacán fosta agus é ag fás.

 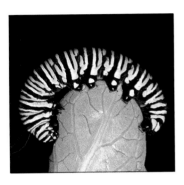 

I dtús an tsamhraidh, crochann an bolb ar chraobhóg agus déantar **crisilid** de. Tarlaíonn athruithe iontacha taobh istigh den chrisilid. Tá an bolb ag athrú ina fhéileacán!

Beireann an féileacán uibheacha ar dhuilleog.

Tagann na boilb amach agus tosaíonn siad a ithe na nduilleog.

Nuair a bhíonn sé ina fhéileacán déanta, streachlaíonn sé amach as an chrisilid, síneann a eiteoga amach le hiad a thriomú agus eitlíonn ar shiúl.
Is iad na féileacáin na hainmhithe fásta.
Beireann siad uibheacha ar dhuilleoga agus tosaíonn beatha úr.

Reiptílí

Beireann bunús na **reiptílí** uibheacha. Bíonn dóigheanna éagsúla acu leis na huibheacha a choinneáil slán agus te. Fásann siad aníos ar dhóigheanna éagsúla fosta.

Beireann an píotón tuairim is 100 ubh. Cornann sí a corp fada thart ar na huibheacha le nead the shábháilte a dhéanamh.

Fásann nathracha go gasta agus iad óg agus bíonn siad ag fás leo go dtí go bhfaigheann siad bás.

Agus na nathracha ag éirí níos mó, fásann siad craiceann eile agus fágann siad an seanchraiceann ina ndiaidh.

SMAOINIGH AIR!

Is beag duine a mhaireann céad bliain. Cén aois atá an duine is sine a bhfuil aithne agatsa air?

Déanann an crogall poll i mbruach abhann le huibheacha a bhreith, agus clúdaíonn sí le gaineamh iad.

Cosnaíonn na crogaill fhásta na huibheacha ar naimhde a bhíonn á seilg.

Nuair a thagann an crogall óg amach as an ubh, scríobann an mháthair an gaineamh ar shiúl agus tógann sí ina béal a fhad leis an abhainn é.

Maireann crogaill mhóra na Níle ar feadh tamaill an-fhada. Síleann daoine go maireann cuid acu céad bliain!

Ag éirí aosta

Stadann daoine de bheith ag éirí níos airde, ach bímid ag athrú linn agus muid ag éirí níos aosta.

Tá Eimhear trí bliana d'aois, tá a máthair naoi mbliana is fiche, tá a **seanmháthair** caoga a cúig agus tá a **sin-seanmháthair** ochtó.

Amharc ar na difríochtaí idir Eimhear, a máthair, a seanmháthair agus a sin-seanmháthair. Cén dóigh a n-athraíonn daoine agus iad ag éirí níos aosta?

SMAOINIGH AIR!

Faigheann gach rud beo bás – ainmhithe, plandaí agus daoine. In amanna, faigheann daoine bás go hóg mar gheall ar thinneas nó taisme. Maireann bunús na ndaoine tamall fada agus faigheann siad bás agus iad aosta.

Bíonn Fearghal agus a sheanathair ag comhrá
go minic. Tá a sheanathair seasca a cúig, agus
tig leis cuid mhór a theagasc d'Fhearghal, rudaí
a d'fhoghlaim sé féin i rith a shaoil fhada.

 BAIN TRIAIL AS!

Imir cluiche meaitseála. Iarr ar do
theaghlach, ar do mhúinteoirí agus ar do
chairde pictiúir díobh féin agus iad ina
bpáistí a thabhairt duit. Greamaigh suas ar
an bhalla iad. An dtig leat iad a aithint?

Cé hiad?

Saolré

Nuair a bheirtear ainmhí úr tosaíonn a shaolré. I ndeireadh a shaoil faigheann sé bás, ach beirtear ainmhithe úra agus tosaíonn siad **saolréanna** úra.

Lean an ciorcal le saolré an bhradáin a aimsiú.

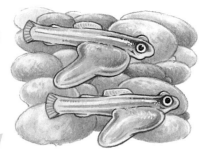

Nuair a thagann bradán óg as an ubh bíonn sé 2.5 cm ar fad. Ar dtús itheann sé buíocán a uibhe.

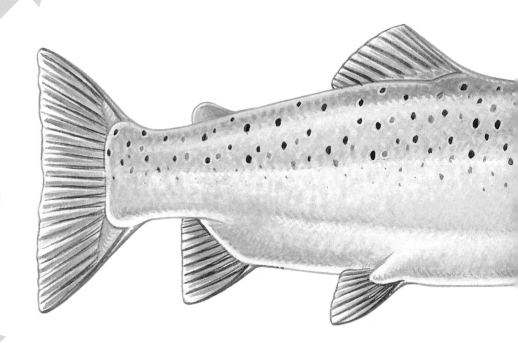

Beireann an bradán uibheacha in aice leis an áit ar tháinig sé féin ar an saol.

Filleann an bradán fásta ar an abhainn as ar tháinig sé agus snámhann sé suas ansin.

Tosaíonn an bradán óg a ithe ainmhithe beaga san abhainn. Fásann sé go gasta.

I ndiaidh dhá bhliain, bíonn an bradán óg tuairim is 18 cm ar fad. Snámhann sé síos an abhainn go dtí an fharraige.

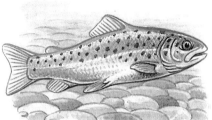

Maireann an bradán san fharraige agus cothaíonn é féin ansin. Fásann sé níos mó arís – bíonn meáchan 4.5 kg ar a laghad i mbradán fásta.

BAIN TRIAIL AS!

Tarraing saolré froig. Tarraing pictiúr den ghlóthach, de na torbáin, de fhrog óg agus de fhrog fásta. Ceangail na pictiúir le saigheada. An dtig leat saolré ainmhí eile atá sa leabhar seo a tharraingt?

Focail úsáideacha

Broinn Fásann daoine agus mamaigh óga eile taobh istigh de bhroinn a máthar go dtí go mbeirtear iad.

Crisilid Bíonn na féileacáin agus na leamhain ina gcrisilidí agus iad ag athrú ó bholb go féileacán fásta.

Déagóir Is déagóir é gach duine atá idir aon bhliain déag agus naoi mbliana déag d'aois - na huimhreacha a chríochnaíonn le 'déag'.

Duine fásta Bíonn duine nó ainmhí fásta nuair a fhásann siad suas go hiomlán.

Feithid Baineann na feithidí le grúpa ainmhithe gan cnámh droma. Tá 3 chuid ina gcorp agus clúdach crua orthu le hiad a chosaint. Tá 6 chos orthu.

Larbha Is amach as ubh nó larbha a thagann bunús na bhfeithidí. De ghnáth ní bhíonn na larbhaí cosúil leis na hainmhithe fásta. Is é an bolb larbha an fhéileacáin, mar shampla.

Mamaigh Grúpa ainmhithe le cnámh droma. Bíonn gruaig nó fionnadh éigin orthu. Ólann na babaithe bainne ón mháthair.

Marsúipiaigh Grúpa ainmhithe a bhfuil pócaí nó málaí acu ina bhfásann na cinn óga. Is marsúipiaigh iad an cangarú, an cóála agus an vombat.

Ocsaigin Gás atá san aer a análaímid. Bíonn ocsaigin de dhíth ar ár gcoirp le hobair a dhéanamh.

Reiptílí Grúpa ainmhithe le cnámh droma agus craiceann lannach uiscedhíonach. Análaíonn siad aer. Maireann cuid acu ar an talamh agus cuid eile san uisce.

Saolré Bíonn saolré ag gach ainmhí. Beirtear iad, fásann siad agus bíonn babaithe dá gcuid féin acu sula bhfaigheann siad bás.

Seanmháthair Is í do sheanmháthair máthair do mháthar nó máthair d'athar. Is é do sheanathair athair do mháthar nó athair d'athar.

Sin-seanmháthair Máthair do sheanathar nó máthair do sheanmháthar.

Speirm Is í an speirm an síol a thagann ón athair. Nuair a nascann sí le hubh sa mháthair, tosaíonn babaí úr.

Tréad Maireann ainmhithe a itheann féar - fianna mar shampla - le chéile agus bogann siad ó áit go háit le chéile i ngrúpaí ar a dtugaimid tréada.

Tuismitheoir Athair nó máthair.

Ubh Is in ubh a thosaíonn an duine agus na hainmhithe a mbeatha. Coinníonn an duine agus roinnt ainmhithe eile an ubh taobh istigh dá gcorp go dtí go mbíonn an babaí réidh le teacht amach. Beireann ainmhithe eile - na héin agus bunús na reiptílí, mar shampla - uibheacha agus tagann na hainmhithe óga amach astu níos moille.

Innéacs

Maidir leis an leabhar seo

Is dual do pháistí bheith ina n-eolaithe. Foghlaimíonn siad trí bheith ag mothú, ag tabhairt faoi deara, ag cur ceisteanna agus ag baint triail as rudaí ar a gconlán féin. Tá na leabhair sa tsraith *Seo an Eolaíocht* curtha in oiriúint don dóigh a mbíonn páistí ag foghlaim. Baintear úsáid as rudaí coitianta mar thúsphointí lena dtreorú chuig a thuilleadh foghlama. In *Ag fás aníos* tosaítear le babaí úr ag fás agus fiosraítear fás an duine agus na n-ainmhithe.

Faightear topaic úr ar gach leathanach dúbailte – foghlaim, mar shampla. Tugtar eolas, cuirtear ceisteanna agus moltar gníomhaíochtaí a spreagann páistí le rudaí a fháil amach dóibh féin agus le smaointe úra a fhorbairt. Coinnigh súil amach do na painéil seo síos tríd an leabhar:

BAIN TRIAIL AS! - gníomhaíocht shimplí, ag úsáid ábhair shábháilte, a chruthaíonn nó a fhiosraíonn pointe éigin.
SMAOINIGH AIR! - ceist a spreagtar ag an eolas ar an leathanach ach a dhíríonn aird an léitheora ar réimsí nach gclúdaítear sa leabhar.
AMHARC SIAR - gníomhaíocht chrostagartha a nascann téamaí agus fíorais síos tríd an leabhar.

Spreag na páistí le bheith fiosrach faoin domhan a bhfuil siad cleachta leis. Cuir rudaí ar a súile dóibh, cuir ceisteanna agus bíodh spraoi agaibh ag déanamh fionnachtana eolaíochta i gcuideachta a chéile.